EXPERIMENTA
CON LA CIENCIA

ELECTRICIDAD Y MAGNETISMO

EXPERIMENTOS CON IMANES Y ELECTRONES

The Science of Electricity and Magnetism

Coordinación editorial: Parramón Ediciones y ReMolino
Traducción: Carlota Pi i Rusiñol

Primera edición: septiembre 2008
© 2005 David West 🏃 Children's Books
© 2008 Parramón Ediciones, S.A.
Derechos exclusivos de edición en lengua española

Ronda de Sant Pere 5, 4.ª planta
08010 Barcelona (España)
Empresa del Grupo Editorial Norma de América Latina

www.parramon.com

ISBN: 978-84-342-3437-6
Depósito legal: B-34282-2008
Impreso en España

Créditos de las imágenes:
Página 4 arriba, 10, 12: Corbis Images; 8 arriba: Roger Viollet;18-19: Sipa Press; 22-23: Rex Features Ltd.

El editor ha hecho todos los esfuerzos posibles por ponerse en contacto con los propietarios de los derechos de reproducción de las imágenes que aparecen en este libro. Cualquier omisión que sea comunicada al editor será rectificada en las siguientes reimpresiones.

Un agradecimiento especial para los chicos y chicas que han posado para las fotografías: Meshach Burton, Sam Heming De-Allie, Annabel Garnham, Andrew Gregson, Hannah Holmes, Molly Rose Ibbett, Margaux Monfared, Max Monfared, Charlotte Moore, Beth Shon, Meg Shon, William Slater, Danielle Smale y Pippa Stannard.

Consulta las definiciones de las palabras difíciles en el glosario de la página 31.

ELECTRICIDAD Y MAGNETISMO

PROYECTOS Y EXPERIMENTOS CON IMANES Y ELECTRONES

STEVE PARKER

Parramón

SUMARIO

Desde circuitos tan pequeños que casi no se ven…

… pasando por potentes motores eléctricos y electroimanes, hasta…

… el galvanizado con metales brillantes, las aplicaciones de la electricidad y el magnetismo afectan a nuestra vida diaria en una infinidad de maneras.

INTRODUCCIÓN

El mundo está cada vez más lleno de electromagnetismo. La electricidad nos ayuda a hacer muchas cosas, desde una llamada telefónica a la limpieza de nuestra ropa. Y donde hay electricidad, también encontramos magnetismo. La electricidad es nuestra forma favorita de energía. Podemos fabricarla, transportarla de un lugar a otro fácilmente, conseguir que lleve información y convertirla en otras formas de energía. Todos estos procesos se basan en nuestro dominio de la ciencia de la electricidad y del magnetismo.

CÓMO FUNCIONA

Estos recuadros explican las bases científicas en las que se fundamenta cada proyecto, así como los procesos que lo hacen funcionar.

Prepara todos los proyectos con cuidado y sigue las instrucciones. Recuerda: los verdaderos científicos siempre ponen la seguridad en primer lugar.

¡ATENCIÓN!
- Todos los experimentos deben ser supervisados por algún adulto
- Todos los cables deben estar recubiertos de aislante
- Jamás toques un conductor conectado a la corriente
- Nunca conectes entre sí los dos cables de una pila ni de una batería, o de unas pilas en serie
- No experimentes con baterías de automóvil
- Nunca experimentes con enchufes

Cuando veas estos símbolos:

 Pide a un adulto que te ayude

Tendrás que realizar este proyecto al aire libre

Se necesitan instrumentos cortantes

Protege de manchas la superficie de trabajo

Pila de 1,5 V

Pilas de 9 V

Las pilas tienen un terminal positivo (+) y uno negativo (–). Necesitarás pilas de 1,5 y de 9 voltios (V). Cualquier tipo de pila de 9 V servirá.

PRUÉBALO Y OBSERVA

Estos recuadros muestran otras ideas para probar, así podrás experimentar y descubrir más cosas sobre la electricidad.

ELECTROSTÁTICA

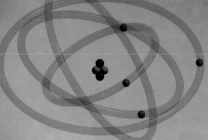

La carga electrostática de un globo frotado con lana atrae o repele cosas muy pequeñas que no transportan bien la electricidad. Por ejemplo pedacitos de papel, plumas, polvo y pelos.

La electricidad se produce por unas diminutas partículas llamadas "electrones". Estos son más pequeños que

En cada átomo, los electrones giran alrededor del centro, que se llama núcleo.

los átomos de que se componen todas las sustancias y materiales. De hecho, los electrones están en el interior de los átomos, girando alrededor del núcleo. Los electrones tienen carga eléctrica. Cuando abandonan los átomos y se mueven por su cuenta, causan la electricidad.

PROYECTO: CONDENSADOR (ALMACENADOR DE CARGAS)

CONDENSADOR

¡ATENCIÓN! No cargues el condensador más de 10 veces. Si lo haces, puedes recibir una descarga eléctrica.

MATERIALES

- Plato y vaso de plástico
- Envase de rollo fotográfico
- Clavo
- Papel de aluminio
- Cable
- Bandeja de papel de aluminio

1 LLENA EL ENVASE DE PLÁSTICO DE UN ROLLO FOTOGRÁFICO U OTRO RECIPIENTE SIMILAR CON AGUA HASTA UNOS DOS TERCIOS Y CIÉRRALO BIEN CON LA TAPA.

2 APOYADO SOBRE UNA BASE FIRME, INSERTA UN CLAVO CON UN MARTILLO EN EL CENTRO DE LA TAPA. ASEGÚRATE DE QUE EL CLAVO TOCA EL AGUA.

3 CORTA UNA TIRA DE PAPEL DE ALUMINIO Y ENRÓLLALA ALREDEDOR DE LA MITAD INFERIOR DEL ENVASE.

4 PEGA UN VASO DE PLÁSTICO EN EL CENTRO DE UNA BANDEJA DE PAPEL DE ALUMINIO. ÉSTA TRANSPORTARÁ LAS CARGAS HASTA EL ENVASE QUE HACE DE CONDENSADOR.

EN MOVIMIENTO

Al frotar la bandeja contra una alfombra, se consigue que pierda algunos de sus electrones. Éstos tienen carga negativa, de modo que los átomos quedan cargados positivamente. Esta carga positiva se transfiere por medio de la bandeja al clavo y al agua. Las cargas positivas almacenadas en el envase atraen los electrones que son cargas negativas en el papel de aluminio exterior. Cuando el cable une el papel de aluminio con el clavo, los electrones circulan por el cable para neutralizar las cargas y restablecer el equilibrio.

LOS ELECTRONES AL SALTAR PRODUCEN UN CHISPAZO

CARGAS POSITIVAS

CARGAS NEGATIVAS

ATRACCIÓN MÁGICA

Frota materiales como el plástico, el nailon, la lana y las fibras acrílicas. Observa cómo las cargas que se forman atraen pedacitos de papel.

INTENTA CARGAR UN PEINE DE PLÁSTICO, PRIMERO BIEN SECO Y LUEGO MOJADO. ¿CREES QUE EL AGUA DEJA ESCAPAR LA CARGA?

5
FROTA EL PLATO DE PLÁSTICO UNOS SEGUNDOS EN UNA ALFOMBRA O CON UN TRAPO DE LANA O NAILON. CUANTO MÁS SECO ESTÉ TODO, MEJOR FUNCIONARÁ ESTE EXPERIMENTO.

6
SUJETA EL TRANSPORTADOR DE CARGAS POR EL VASO. TOCA EL PLATO DE PLÁSTICO CON LA BANDEJA DE PAPEL DE ALUMINIO, PARA TRANSFERIR LA CARGA DEL PLATO A LA BANDEJA.

7
TOCA EL CLAVO CON EL TRANSPORTADOR PARA QUE LA CARGA ENTRE EN EL CONDENSADOR. REPITE ESTE PROCESO 10 VECES (PASOS 5 Y 6) PARA AUMENTAR LA CARGA DEL CONDENSADOR.

¡ZAS!
SUJETA UN CABLE A LA BASE METALIZADA. ASEGÚRATE DE QUE NO TOCAS EL CLAVO CUANDO LO HAGAS. ACERCA EL OTRO EXTREMO DEL CABLE AL CLAVO. SE PRODUCIRÁ UN CHASQUIDO CUANDO LOS ELECTRONES SALTEN. SI LO HACES EN LA OSCURIDAD, VERÁS TAMBIÉN LA CHISPA.

¿Cuánta carga tiene?

En 1752, Benjamin Franklin hizo volar una cometa hasta una nube de tormenta, para demostrar que el rayo era una descarga eléctrica. La carga bajaría por el hilo mojado y daría un chispazo cuando saltara desde una llave. Franklin tuvo suerte, porque podría haber muerto por la descarga de un rayo.

Hasta hace doscientos años, la carga estática era la única clase de electricidad que utilizaban los científicos. Se almacenaba en condensadores (que entonces se llamaban "botellas de Leyden") y daba chispazos cuando saltaba de una sustancia a otra. Durante los experimentos, era importante medir la cantidad de carga. De hecho, todavía es importante, pues muchos dispositivos eléctricos modernos utilizan condensadores.

PROYECTO: CONSTRUIR UN MEDIDOR DE CARGA (ELECTROSCOPIO)

MEDIDOR DE CARGA

MATERIALES

- **Bote de vidrio con tapa de plástico**
- **Alambre grueso y rígido (ej., el gancho de una percha)**
- **Papel de aluminio**
- **Arcilla de modelar**
- **Globo**
- **Martillo**
- **Clavo**
- **Alicates de corte**

1

QUÍTALE LA TAPA AL BOTE Y HAZLE UN AGUJERO EN EL CENTRO CON UN CLAVO Y UN MARTILLO, LO SUFICIENTEMENTE ANCHO PARA QUE PASE EL ALAMBRE RÍGIDO.

2

CORTA UN TROZO DE ALAMBRE. DOBLA UN EXTREMO EN ÁNGULO RECTO EN FORMA DE L. PASA EL ALAMBRE A TRAVÉS DE LA TAPA Y FÍJALO CON ARCILLA DE MODELAR.

3

DOBLA EN FORMA DE V INVERTIDA UNA TIRA DE PAPEL DE ALUMINIO Y COLÓCALA EN EL EXTREMO DOBLADO DEL ALAMBRE. PINCHA UNA BOLA DE PAPEL DE ALUMINIO ARRUGADO EN EL OTRO EXTREMO.

ATRACCIÓN-REPULSIÓN

Las cargas diferentes se atraen entre sí. Las cargas iguales se repelen. Las cargas positivas de un globo atraerán a las cargas negativas del alambre hasta la bola superior, lo que dejará las positivas en la tira doblada en forma de V, las cuales se repelerán, por lo que se separarán los dos extremos de la V.

CARGAS POSITIVAS DEL GLOBO

CARGAS NEGATIVAS EN LA BOLA

LAS CARGAS POSITIVAS SEPARAN LA V

REPULSIÓN

INFLA UN GLOBO Y FRÓTALO CON LANA O NAILON, DE FORMA QUE SE FORME ELECTRICIDAD ESTÁTICA EN SU SUPERFICIE. ACERCA EL GLOBO A LA BOLA DE PAPEL DE ALUMINIO, PERO SIN TOCARLO. MIRA CÓMO SE SEPARAN LAS DOS TIRAS DE LA V. ALEJA EL GLOBO Y VERÁS CÓMO VUELVEN A JUNTARSE OTRA VEZ.

MEDIDAS

Cuanto mayor sea la carga, más se separarán las dos tiras. La carga eléctrica se mide de este modo.

INTENTA UTILIZAR EL CONDENSADOR DE LA PÁGINA 6.

4

VUELVE A PONER LA TAPA EN EL BOTE. LAS TIRAS DEL PAPEL DE ALUMINIO DOBLADO EN V DEBEN QUEDAR DENTRO DEJANDO UN ESPACIO LIBRE EN EL FONDO DEL BOTE.

CIRCUITOS E INTERRUPTORES

En un circuito complejo, la electricidad puede pasar por centenares de caminos diferentes.

En la electricidad estática, los electrones permanecen inmóviles, pero en una corriente eléctrica, como la producida por una pila, los electrones circulan constantemente. Para hacerlo, deben encontrar un camino o circuito a través de una sustancia adecuada para poder circular. Las sustancias que dejan pasar la electricidad bien, principalmente los metales, se llaman "conductores eléctricos".

PROYECTO: MONTAR UN CIRCUITO CON DOS INTERRUPTORES

CIRCUITO CON DOS INTERRUPTORES

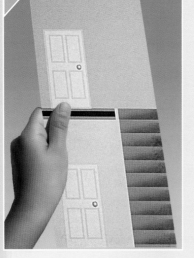

1 DIBUJA EN UN PAPEL DOS PISOS CON SU PUERTA Y LA ESCALERA DE UNA CASA.

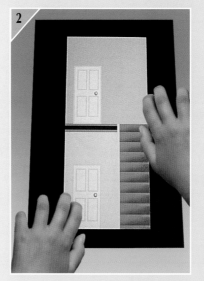

2 PEGA EL DIBUJO ENCIMA DE UNA CARTULINA, DEJANDO ESPACIO ALREDEDOR PARA LOS CONDUCTORES.

CORTA UN CÍRCULO DE CARTULINA CON UNA PESTAÑA LATERAL Y PEGA UN TROZO DE PAPEL DE ALUMINIO EN UN LADO QUE HARÁ DE INTERRUPTOR. HAZ OTRO IGUAL Y SUJETA AMBOS CON ENCUADERNADORES AL PAPEL DE ALUMINIO DEBAJO.

PEGA EL PORTALÁMPARAS A LA CARTULINA. COLOCA LAS DOS PILAS DE FORMA QUE SE TOQUEN POSITIVO (+) CON NEGATIVO (–). COLOCA UN CABLE DESDE LA PILA INFERIOR A LA TIRA INFERIOR, OTRO DESDE LA PILA SUPERIOR A UN CONTACTO DE LA BOMBILLA Y OTRO CABLE DESDE LA TIRA CONDUCTORA SUPERIOR AL OTRO CONTACTO DE LA BOMBILLA.

3 CORTA UNAS TIRAS LARGAS DE PAPEL DE ALUMINIO COMO CONDUCTORES Y PÉGALOS A LA CARTULINA COMO SE MUESTRA.

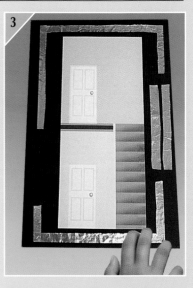

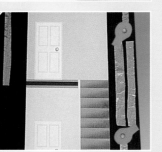

4

5

6

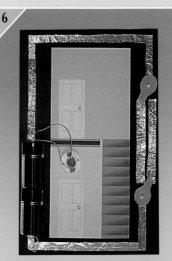

MATERIALES

- **Cartulina rígida**
- **Papel**
- **Dos pilas de 1,5 V**
- **Bombilla de 3 V con portalámparas**
- **Papel de aluminio**
- **Cable**
- **Encuadernadores**

ARRIBA Y ABAJO

Un interruptor bloquea el circuito conductor intercalando un espacio de aire entremedio, puesto que el aire es muy mal conductor. El interruptor conecta o desconecta al permitir pasar o no a la corriente. En este circuito de dos vías, cada interruptor controla la corriente.

La luz se enciende (izquierda abajo) cuando la corriente encuentra un camino por la tira de la izquierda. Si cambias el interruptor inferior…

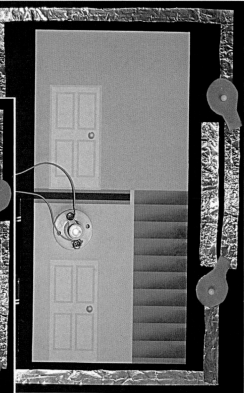

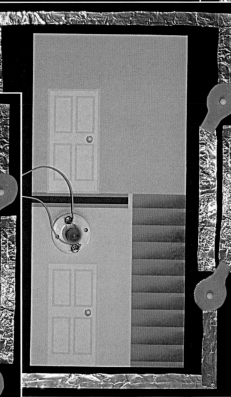

…cuando estás arriba, si quieres encender la luz, debes cambiar el interruptor superior de modo que completes el circuito otra vez y la electricidad vuelva a pasar por la tira de la derecha y la luz se vuelva a encender. Esto funciona una y otra vez…

…el circuito queda interrumpido porque no encuentra ningún camino por la tira de la izquierda. Así que la luz se apaga (arriba). Entonces…

CARGAS QUE CIRCULAN

Si un electrón recibe suficiente "empuje", abandona su átomo y busca otro átomo al que le falte un electrón. Una pila proporciona suficiente "empuje" (tensión) para que todos los electrones se muevan a lo largo de un cable metálico.

Como resultado, miles de millones de electrones hacen lo mismo pasando de un Átomo a otro, en la misma dirección, a lo largo del cable. Éste flujo de electrones se denomina "corriente eléctrica".

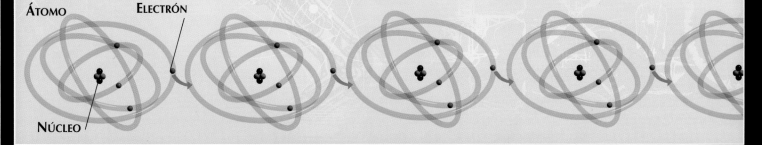

ÁTOMO   ELECTRÓN

NÚCLEO

¿CIRCULA O NO CIRCULA?

En los cables de alta tensión hay aisladores que parecen discos apilados realizados con materiales aislantes cerámicos.

La electricidad no circula por el exterior de cables y enchufes de aparatos como los televisores porque el aire no se lo permite. Las sustancias que conducen la electricidad se llaman "conductores", mientras que las que no la dejan pasar se llaman "aislantes". Los cables eléctricos están hechos con metales conductores. El aire es un buen aislante. ¿Qué ocurre con las demás sustancias y materiales?

La mayoría de los metales son buenos conductores. Uno de los mejores es el cobre, que vemos aquí en grandes carretes o bobinas. Se utilizan millones de kilómetros para cablear los edificios y las máquinas eléctricas.

PROYECTO: COMPROBADOR DE CONDUCCIÓN

COMPROBADOR DE CONDUCCIÓN

MATERIALES

- Cable eléctrico
- Clips encuadernadores
- Bombilla con portalámparas
- Pila de 1,5 V
- Plancha de poliuretano
- Cinta adhesiva

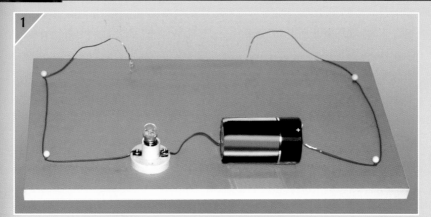

1 SUJETA CON CINTA ADHESIVA UNA PILA Y EL PORTALÁMPARAS A LA PLANCHA DE POLIURETANO. CONECTA UN CONTACTO DEL PORTALÁMPARAS A UNO DE LOS BORNES DE LA PILA CON UN CABLE. SUJETA UN CABLE LARGO AL OTRO EXTREMO DE LA PILA Y OTRO AL OTRO CONTACTO DE LA BOMBILLA Y SUJÉTALOS CON ENCUADERNADORES.

2 REÚNE TODA CLASE DE OBJETOS COTIDIANOS DE MATERIALES DIFERENTES PARA PROBARLOS. ¿SON O NO SON BUENOS CONDUCTORES?

CRUZA EL PUENTE

La electricidad solamente circula cuando encuentra un camino completo o un circuito conductor. Si un material conductor hace de puente entre los dos cables, los electrones se moverán y encenderán la bombilla. Los materiales aislantes les impedirán el paso.

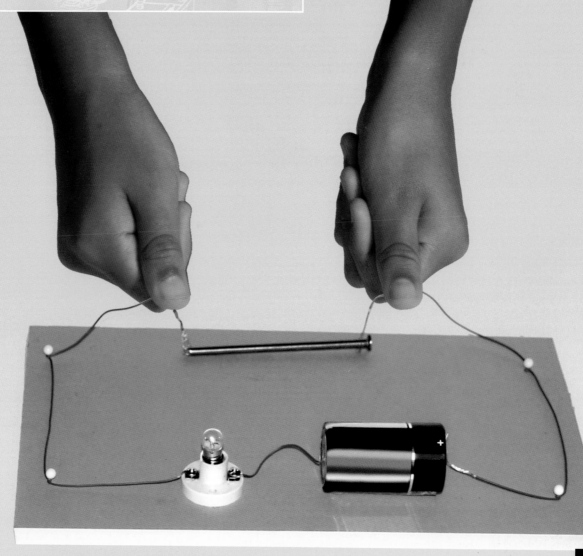

PRESIONA EL CABLE CON FUERZA

OBJETO QUE SE COMPRUEBA

BOMBILLA EN SU PORTALÁMPARAS

PILA

¿MALOS CONDUCTORES?

Coloca la mina de grafito de un lápiz con dos puntas como puente. La bombilla se encenderá débilmente. El grafito es un conductor bastante malo y deja pasar unos pocos electrones, pero no todos.

PRUEBA CON LÁPICES DE DIFERENTES LONGITUDES. ¿BRILLA MÁS LA BOMBILLA CON UN LÁPIZ MÁS CORTO? ¿QUÉ PASA CON LA MADERA DEL LÁPIZ?

¿BRILLA O NO BRILLA?
PARA PROBAR UN MATERIAL, COLÓCALO COMO PUENTE ENTRE LOS DOS EXTREMOS DE LOS CABLES. SUJETANDO LOS CABLES POR SU AISLANTE DE PLÁSTICO, PRESIONA AMBOS EXTREMOS DESNUDOS CONTRA EL OBJETO QUE QUIERES COMPROBAR. SI LA BOMBILLA BRILLA, EL MATERIAL ES CONDUCTOR. SI NO BRILLA, ES AISLANTE.

RESISTENCIA A LA CORRIENTE

Los buenos aislantes resisten mucho o impiden totalmente el paso de la electricidad. Tienen una resistencia muy alta. Los buenos conductores presentan una resistencia muy baja y permiten el paso de la corriente. En algunos circuitos y máquinas, se necesita una cierta resistencia eléctrica.

Una resistencia variable hace que el brillo de una bombilla disminuya y casi se apague o que brille mucho.

PROYECTO: RESISTENCIA VARIABLE

1

ENROLLA UN CABLE RECUBIERTO DE PLÁSTICO ALREDEDOR DE UN TUBO DE CARTÓN DÁNDOLE VUELTAS EN FORMA DE BOBINA. PASA LOS DOS EXTREMOS POR SENDOS AGUJEROS EN EL EXTREMO DEL TUBO.

2

ENVUELVE EL TACO DE MADERA CON PAPEL DE LIJA. UTILÍZALO PARA RASPAR EL PLÁSTICO DEL CABLE POR UN LADO Y A LO LARGO DE LA BOBINA, HASTA DEJAR EL CONDUCTOR METÁLICO INTERNO AL AIRE.

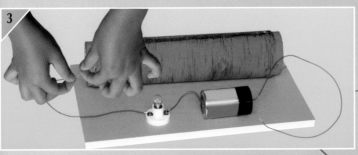

3

SUJETA LA PILA, LA BOMBILLA Y TRES TROZOS DE CABLE A LA PLANCHA COMO LO HICISTE PARA EL COMPROBADOR DE LA PÁGINA ANTERIOR. CONECTA UN CABLE A UN EXTREMO DE LA BOBINA.

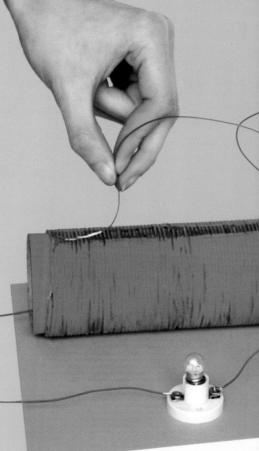

MÁS = MENOS

Incluso el cable de cobre opone alguna resistencia a la electricidad. Cuanto más largo es el cable, mayor resistencia presenta y menos corriente circula por el circuito. A medida que deslizas el contacto del otro cable por la bobina de izquierda a derecha, la corriente debe pasar por más vueltas. Más cable representa menos corriente, por lo que la bombilla brillará menos.

LA ELECTRICIDAD CIRCULA POR UNA PARTE MUY PEQUEÑA DE LA BOBINA

LA ELECTRICIDAD PASA POR GRAN PARTE DE LA BOBINA

MÁS Y MENOS BRILLO

EL EXTREMO LIBRE DE LOS DOS CABLES ES LA TOMA DESLIZANTE. SUJÉTALO POR EL PLÁSTICO Y TOCA CON ÉL LA PARTE DESNUDA DE LAS VUELTAS DE LA BOBINA. DESLÍZALO A LO LARGO DE LA BOBINA, APRETANDO BIEN PARA CONSEGUIR UN BUEN CONTACTO. ¿CAMBIA EL BRILLO DE LA BOMBILLA?

¿BRILLA POCO?

Consigue una mina de grafito de lápiz (mira la página anterior) de las que se venden sueltas como recambio para lápices. Utilízala en lugar de la bobina. ¿Aún brilla la bombilla?

INTENTA HACER LA BOBINA CON LAS VUELTAS MÁS SEPARADAS. PUEDE QUE LA BOMBILLA BRILLE ALGO MÁS, PERO COSTARÁ MÁS MOVER LA TOMA DESLIZANTE.

¿SE SUMAN O SE COMPARTEN?

El circuito más sencillo es una pila conectada a una bombilla por unos cables. Aumentando el número de elementos de un circuito, crece también el número de formas en que se pueden conectar. Una forma es colocarlos en serie, de modo que la electricidad tenga que pasar por uno después de otro. Otra forma es conectarlos en paralelo (lado con lado), de modo que la electricidad pase por todos al mismo tiempo.

En un cargador de baterías, todas están en paralelo, de modo que cada una recibe toda la tensión eléctrica para ser recargadas.

PROYECTO: COMPROBADOR DE CIRCUITOS

Las pilas de una linterna están conectadas en serie, una después de otra. Si ambas son de 1,5 voltios, juntas en serie producen una presión eléctrica (tensión) de 3 voltios.

COMPROBADOR DE CIRCUITOS

MATERIALES

- **Cartulina gruesa**
- **Cola**
- **Papel de aluminio**
- **Cables eléctricos**
- **Dos pilas de 1,5 V**
- **Dos bombillas de 3 V con portalámparas**
- **Cinta adhesiva**

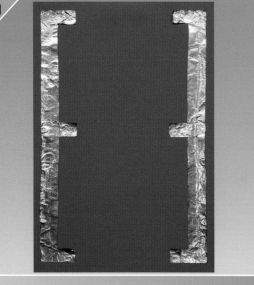

MONTA UN CIRCUITO CON PAPEL DE ALUMINIO PEGADO A UNA CARTULINA (ARRIBA). PREPARA CABLES PARA CONECTARLOS A LAS PILAS, BOMBILLAS Y TIRAS DE PAPEL DE ALUMINIO.

PILAS EN SERIE

COLOCA DOS PILAS EN SERIE EN EL HUECO SUPERIOR DE FORMA QUE EL POSITIVO (+) DE UNA TOQUE AL NEGATIVO (–) DE LA OTRA. PEGA CON CINTA ADHESIVA DOS CABLES ENTRE LOS EXTREMOS RESTANTES Y EL PAPEL CONDUCTOR. CONECTA UNA BOMBILLA EN EL HUECO INFERIOR. ¿BRILLA BIEN?

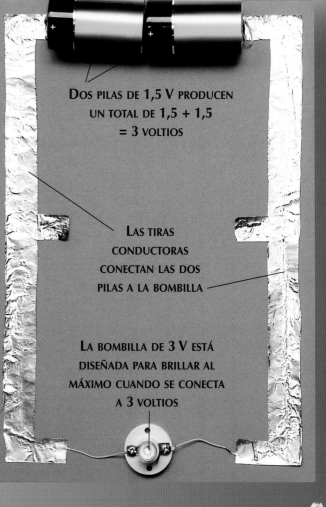

DOS PILAS DE 1,5 V PRODUCEN UN TOTAL DE 1,5 + 1,5 = 3 VOLTIOS

LAS TIRAS CONDUCTORAS CONECTAN LAS DOS PILAS A LA BOMBILLA

LA BOMBILLA DE 3 V ESTÁ DISEÑADA PARA BRILLAR AL MÁXIMO CUANDO SE CONECTA A 3 VOLTIOS

CIRCUITOS Y SUMAS

En dos pilas puestas en serie, su "presión" (tensión en voltios) es el doble. Para pilas montadas en paralelo, la tensión en voltios es la misma. Sin embargo, el paso de electricidad (que es la corriente medida en amperios) es el doble. Si las bombillas se conectan en serie, la resistencia, que se mide en ohmios, de cada una se suma.

Si las pilas se montan en paralelo, sus resistencias están "compartidas" y son inferiores. Los científicos utilizan la llamada "Ley de Ohm" para relacionar voltios, amperios y ohmios en un circuito, según como se conecten los elementos.

PILAS EN PARALELO

UTILIZA EL MISMO CIRCUITO DEL TABLERO ANTERIOR Y CONECTA UNA PILA EN EL HUECO SUPERIOR Y OTRA EN EL INTERMEDIO. DEJA LA BOMBILLA EN EL INFERIOR. LA BOMBILLA AHORA BRILLA MENOS, PERO SI SE DEJA ENCENDIDA, DURARÁ MUCHO MÁS TIEMPO QUE CON LAS PILAS EN SERIE.

MÁS CIRCUITOS

Prueba a llevar a cabo experimentos parecidos a los de la izquierda, pero con una sola pila. Esta vez conecta dos bombillas en serie y luego en paralelo, como se muestra abajo. ¿Cómo crees que se comportarán las bombillas?

DOS PILAS DE 1,5 VOLTIOS EN PARALELO PRODUCEN LA MISMA TENSIÓN DE 1,5 VOLTIOS, PERO HACEN QUE LA BOMBILLA BRILLE EL DOBLE DE TIEMPO

LA BOMBILLA DE 3 VOLTIOS BRILLA MENOS CONECTADA A SÓLO 1,5 VOLTIOS DE TENSIÓN

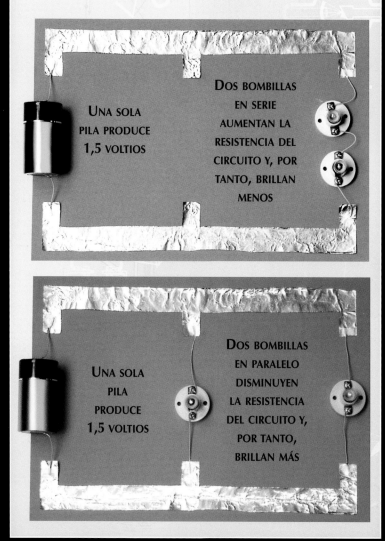

UNA SOLA PILA PRODUCE 1,5 VOLTIOS

DOS BOMBILLAS EN SERIE AUMENTAN LA RESISTENCIA DEL CIRCUITO Y, POR TANTO, BRILLAN MENOS

UNA SOLA PILA PRODUCE 1,5 VOLTIOS

DOS BOMBILLAS EN PARALELO DISMINUYEN LA RESISTENCIA DEL CIRCUITO Y, POR TANTO, BRILLAN MÁS

EL MISTERIOSO MAGNETISMO

El magnetismo es una fuerza misteriosa. No podemos verlo, pero podemos notar cómo atrae o empuja a otros objetos, especialmente a otros imanes. Un imán tiene dos polos opuestos, el norte o (+) y el sur o (–).

PROYECTO: CONSTRUIR UN TREN LEVITADOR MAGLEV

TREN MAGLEV

MATERIALES

- **Unos cuantos imanes pequeños**
- **Cartón grueso o plancha de poliuretano**
- **Cola**
- **Tijeras**
- **Destornillador**

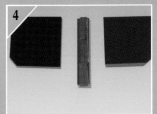

1 REÚNE 12 O MÁS IMANES PEQUEÑOS. PUEDES PEDÍRSELOS "PRESTADOS" A LOS ADHESIVOS MAGNÉTICOS QUE SOSTIENEN NOTAS EN LA NEVERA O A UNAS LETRAS MAGNÉTICAS, DESPRENDIÉNDOLOS CUIDADOSAMENTE CON UN DESTORNILLADOR.

2 PEGA LOS IMANES A UNA PISTA (UNA TIRA LARGA DE CARTÓN) ASEGURÁNDOTE DE QUE LOS MISMOS POLOS QUEDAN HACIA ARRIBA (MIRA EL RECUADRO SUPERIOR DE LA PÁGINA 19).

3 CORTA DOS TIRAS O MÁS DE CARTÓN. PÉGALAS A LOS LADOS DE LA VÍA PARA HACER UNOS LATERALES SUAVES.

4 CORTA UNA TIRA DE CARTÓN DE 3 IMANES DE LARGO Y 2 MM MÁS ANCHA QUE LA VÍA PARA HACER EL TREN. ENCÓLALE LOS TRES IMANES. ASEGÚRATE DE QUE LOS MISMOS POLOS QUEDAN HACIA ABAJO Y QUE SON LOS MISMOS QUE LOS POLOS HACIA ARRIBA DE LA VÍA. CORTA DOS TROZOS DE CARTÓN PARA ELABORAR LOS LADOS DEL TREN.

IMANES DEL TREN

IMANES DE LA VÍA

"Maglev" significa levitación (levantamiento) magnética. El tren no tiene ruedas. El magnetismo lo hará "flotar".

LEY DEL MAGNETISMO

Como las cargas eléctricas, los polos magnéticos se atraen y repelen entre sí. La ley básica consiste en que los polos del mismo signo, como norte contra norte, o sur contra sur, se repelen. Los polos diferentes, como el norte y el sur, se atraen. La ley dice: "Los polos del mismo signo se repelen y los polos opuestos se atraen".

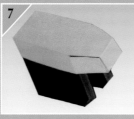

LOS POLOS OPUESTOS SE ATRAEN

LOS POLOS IGUALES SE REPELEN

5

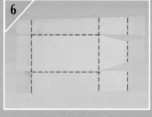

PEGA LOS DOS LADOS DEL TREN. COMPRUEBA QUE ENCAJA SOBRE LA VÍA, Y QUE AMBOS LADOS LO MANTIENEN DE PIE. SI EL TREN SE PEGA FIRMEMENTE A LA VÍA, ES QUE ALGÚN PAR DE IMANES ESTÁ AL REVÉS.

6

HAZ UNA CUBIERTA PARA EL TREN CORTANDO EL CARTÓN CON LA FORMA QUE SE VE ARRIBA. DÓBLALO POR LOS PUNTOS Y PEGA LAS SOLAPAS DELANTERAS.

7

EL TREN ACABADO SE PARECERÁ A ESTE. CON TRES CARTONES, CONSTRUYE TRES SOPORTES PARA SOSTENER LA VÍA INCLINADA.

DESLIZAMIENTO SILENCIOSO
COLOCA EL TREN SOBRE LA VÍA Y DÉJALO IR. DEBE DESLIZARSE SUAVEMENTE POR LA VÍA HACIA ABAJO. LOS POLOS DE LA VÍA Y DEL TREN DEBEN REPELERSE MUTUAMENTE PARA QUE ÉSTE ÚLTIMO "LEVITE".

FORMAS DISTINTAS

Todos los imanes tienen un polo norte y otro sur.

PARA DESCUBRIR DÓNDE ESTÁN LOS POLOS, PON DOS IMANES JUNTOS Y OBSERVA DÓNDE SON MÁS FUERTES LAS FUERZAS.

UN MUNDO MAGNÉTICO

El magnetismo afecta principalmente a las sustancias que contienen hierro. El centro o núcleo de la Tierra es de hierro fundido, lo que ha convertido a nuestro planeta en un gigantesco imán. Por eso, los nombres de "polo norte" y "polo sur" se aplican tanto a los imanes como a la Tierra. Para detectar el campo magnético de la Tierra, podemos emplear imanes muy pequeños, basándonos en las leyes del magnetismo de la página anterior.

Una brújula es vital para los marinos, exploradores, pilotos, etcétera, en viajes largos.

PROYECTO: CONSTRUCCIÓN DE UNA BRÚJULA

(PÁG. 19)

BRÚJULA

MATERIALES

- **Papel**
- **Aguja de coser de acero**
- **Imán**
- **Bote de vidrio con tapa de plástico**
- **Plástico transparente adhesivo**
- **Tijeras**
- **Pintura o rotuladores de colores**

1 DIBUJA UN CÍRCULO DE PAPEL DE 2 CM MENOS DE DIÁMETRO QUE LA TAPA DEL BOTE Y RECÓRTALO. DIBUJA UNA ESTRELLA CON UNA FLECHA NEGRA.

2 CORTA UN CUADRADO DEL PLÁSTICO TRANSPARENTE. COLÓCALO ENCIMA DEL PAPEL COLOREADO.

3 FROTA LA AGUJA SIEMPRE EN LA MISMA DIRECCIÓN CON EL MISMO POLO DE UN IMÁN UNAS 300 VECES. ASÍ, TAMBIÉN SE CONVERTIRÁ EN UN IMÁN.

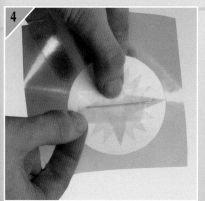

4 COMPRUEBA EL NORTE Y SUR DE LA AGUJA (PÁG. 19). COLÓCALA CON SU NORTE DEBAJO DE LA FLECHA NEGRA.

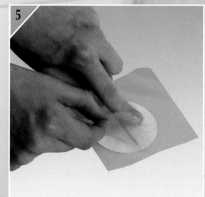

5 COLOCA OTRO CUADRADO ADHESIVO ENCIMA DE LA AGUJA Y EL DORSO DEL PAPEL PARA QUE QUEDE SELLADO.

6 CORTA EL PLÁSTICO SOBRANTE ALREDEDOR DEL CÍRCULO, PERO DEJA UNOS 5 MM EXTRA EN EL BORDE.

EL CAMPO MAGNÉTICO

Las fuerzas magnéticas son como líneas que van de un polo a otro y se llaman "líneas de fuerza magnética". Las de la Tierra van del Polo Norte al Polo Sur. La aguja de la brújula apunta hacia los polos. En ellos, las líneas de fuerza penetran en el suelo en ángulo recto, pero en la zona del ecuador son paralelas al suelo. Coloca una brújula de canto apuntando al Norte y al Sur, y la aguja mostrará un ángulo llamado "de inclinación". La zona de influencia del magnetismo se llama "campo magnético".

POLO NORTE

TODAS LAS LÍNEAS DE FUERZA MAGNÉTICA FORMAN EL CAMPO MAGNÉTICO

LA BRÚJULA DE CANTO SE ALINEA CON LAS LÍNEAS DE FUERZA MAGNÉTICAS

POLO SUR

LA BRÚJULA SIEMPRE APUNTA HACIA EL POLO NORTE

LA BRÚJULA FLOTA EN EL AGUA

EL POLO NORTE DE LA AGUJA MAGNETIZADA ESTÁ DEBAJO DE LA FLECHA NEGRA

¿DÓNDE ESTÁ EL NORTE?

VIERTE ALGO DE AGUA EN LA TAPA DEL BOTE. COLOCA TU BRÚJULA EN EL AGUA Y CONTEMPLA CÓMO GIRA HACIA EL NORTE. SI LA UTILIZAS EN EL EXTERIOR, PON EL BOTE DE VIDRIO ENCIMA DE LA TAPA. ESTO EVITARÁ QUE LE AFECTE EL VIENTO.

¡PUEDES VERLAS!

Puedes ver las líneas de fuerza magnéticas colocando un imán debajo de un papel fino. Espolvorea limaduras de hierro sobre el papel y dale unos golpecitos. ¿Qué ves?

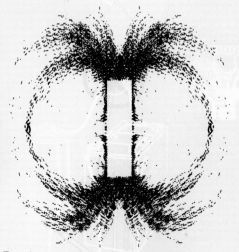

PRUÉBALO CON IMANES DE FORMAS DIFERENTES, COMO POR EJEMPLO BOTONES, HERRADURAS (EN FORMA DE U) Y ANILLOS.

IMANES ELÉCTRICOS

Electricidad y magnetismo son hermanos mellizos. Casi siempre ocurren simultáneamente, como una de las fuerzas fundamentales del Universo: el electromagnetismo. Cuando una corriente circula por un hilo, crea un campo magnético a su alrededor. Si se interrumpe la corriente, el campo desaparece. Los electroimanes utilizan este "ser o no ser" del magnetismo.

Los electroimanes se utilizan en las grúas para levantar muchas toneladas.

PROYECTO: CONSTRUIR UN ELECTROIMÁN

ELECTROIMÁN

**¡ATENCIÓN!
Los electroimanes pueden calentarse mucho si se dejan conectados demasiado tiempo. No toques el clavo si te sucede esto.**

MATERIALES

- **Tubo de cartón**
- **Clavo de hierro grande**
- **Cable eléctrico**
- **Pila de 1,5 V**
- **Papel de aluminio**
- **Cartulina**
- **Cinta adhesiva**
- **Tijeras**
- **Cañita**

1

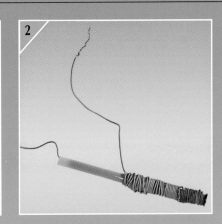

CORTA LA CAÑITA UN POCO MÁS LARGA QUE EL CLAVO. INTRODUCE EL CLAVO EN SU INTERIOR.

2

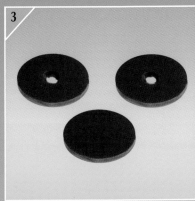

PASA EL CABLE POR EL INTERIOR DE LA CAÑITA Y ENRÓLLALO LUEGO SOBRE LA MITAD PARA HACER UNA BOBINA.

3

CORTA CÍRCULOS DE CARTULINA QUE ENTREN JUSTOS EN EL TUBO. HAZLES AGUJEROS EN EL CENTRO CON UN LÁPIZ.

4

PASA LOS CÍRCULOS POR LA CAÑITA. PEGA UN EXTREMO DEL CABLE A UNA BOLA DE PAPEL DE ALUMINIO CON CINTA ADHESIVA Y ENCÓLALO TODO AL CÍRCULO INFERIOR.

5

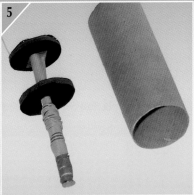

INTRODUCE EL CONJUNTO DE LOS DOS CÍRCULOS, MEDIO CLAVO Y LA PAJILLA DENTRO DEL TUBO. DEJA LA BOBINA FUERA EN UNO DE LOS EXTREMOS.

6

PON UNA PILA EN EL INTERIOR DEL TUBO DE FORMA QUE TOQUE LA PELOTA DE PAPEL DE ALUMINIO. EL CABLE DEBE SALIR POR EL LADO DE LA PILA.

UNA HERRAMIENTA ÚTIL

EMPUJA EL CÍRCULO SOBRANTE EN EL EXTREMO FINAL DEL TUBO PARA QUE EL CABLE HAGA CONTACTO CON LA PILA. LA ELECTRICIDAD PASARÁ Y EL CLAVO SE CONVERTIRÁ EN UN IMÁN. INTENTA ATRAER COSAS PEQUEÑAS CON TU ELECTROIMÁN, COMO CLIPS, ALFILERES O AGUJAS DE COSER.

¡ALINEARSE, YA!

El hierro está lleno de pequeñísimas zonas magnéticas llamadas "campos". Normalmente, estos dominios se cancelan entre sí (1). La corriente cercana hace que se alineen los dominios, de forma que sus polos norte apunten en la misma dirección (2). Esto convierte al hierro en un electroimán.

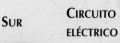

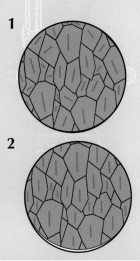

1

2

SUR

CIRCUITO ELÉCTRICO

NORTE

¿MÁS FUERTE?

Comprueba la fuerza de tu electroimán observando cuántos clips puede levantar. ¿Se te ocurre cómo hacerlo más fuerte o más débil?

PRUEBA A DARLE MÁS VUELTAS CON EL CABLE A LA BOBINA Y COMPRUEBA SU FUERZA. PRUEBA TAMBIÉN A SEPARAR MÁS LAS VUELTAS O EMPLEA UNA PILA DE MAYOR TENSIÓN.

El cierre centralizado de un vehículo utiliza un solenoide de dos movimientos que puede abrir y cerrar las puertas.

LA ATRACCIÓN

Los electroimanes se pueden utilizar para conseguir movimiento. Un electroimán normal consta de una bobina alrededor de un núcleo fijo. Un solenoide es un electroimán con un núcleo que se puede mover. Si el núcleo está fuera cuando pasa la electricidad, se mete hacia adentro.

El cono de un altavoz se mueve adelante y atrás debido al campo magnético de una bobina de cables que tiene detrás.

PROYECTO: CERRADURA ELECTROMÁGNÉTICA

CERRADURA

¡ATENCIÓN! Los solenoides, igual que los electroimanes, pueden calentarse mucho si se dejan con corriente demasiado tiempo. No los dejes conectados durante más de unos segundos.

MATERIALES

- **Cañita**
- **Clips**
- **Cable eléctrico**
- **Pila de 9 V**
- **Cartón grueso o plancha de poliuretano**
- **Cola**
- **Tijeras**
- **Lápiz**
- **Cinta aislante**

1 CORTA TRES CUADRADOS DE CARTÓN GRUESO DE 25 MM DE LADO. HAZ UN AGUJERO DEL DIÁMETRO DE LA CAÑITA EN EL CENTRO DE DOS DE ELLOS CON UN LÁPIZ.

2 CORTA UN TROZO DE CAÑITA DE 15 MM. PÉGALA EN EL CENTRO DEL TERCER CUADRADO.

4 CORTA UN TROZO DE CAÑITA 1 CM MÁS LARGA QUE EL CLAVO. ENROLLA EL CABLE MUCHAS VECES ALREDEDOR DE LA CAÑITA, DEJANDO LOS EXTREMOS LIBRES. ENDEREZA UN CLIP PARA CONVERTIRLO EN EL PASADOR CENTRAL O NÚCLEO.

3 CORTA UNA BASE CUADRADA DE 12 CM DE LADO Y UN PANEL VERTICAL DE 8 X 15 CM. HAZ UNA RANURA EN EL CENTRO DE LA BASE PARA QUE QUEPA EL PANEL VERTICAL, QUE DEBERÁS PEGAR EN LA RANURA. PEGA LOS TRES CUADRADOS AL PANEL, COMO SI FUERAN UNOS ESTANTES. LA DISTANCIA ENTRE EL SUPERIOR Y EL DEL CENTRO DEBE SER LA LONGITUD DEL SOLENOIDE.

ATRAÍDO HACIA EL CENTRO

Cuando la corriente pasa por un hilo recto, el campo magnético alrededor del hilo es muy débil. En una bobina, el campo magnético de cada vuelta se suma para producir un campo mucho más fuerte. El magnetismo de un electroimán es el mismo que el de un imán permanente. Atrae todos los objetos de hierro. El clip de papel es de acero, que básicamente es un compuesto de hierro. Por tanto, el clip es atraído hacia el centro del campo magnético.

LA BOBINA DEL SOLENOIDE CREA UN CAMPO MAGNÉTICO CUANDO PASA LA CORRIENTE

CONEXIONES A LA PILA

EL NÚCLEO DEL SOLENOIDE ES ATRAÍDO HACIA LA BOBINA POR LA FUERZA MAGNÉTICA

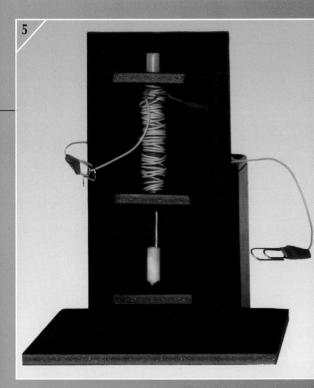

COLOCA LA CAÑITA ENTRE LOS DOS AGUJEROS DEL CUADRADO SUPERIOR E INFERIOR. DEJA CAER EL CLIP POR EL INTERIOR DE LA CAÑITA HASTA EL CUADRADO INFERIOR. CONECTA DOS CLIPS A LOS DOS CABLES DE LA BOBINA CON CINTA AISLANTE PARA SUJETARLOS A LOS BORNES DE LA PILA.

CIERRA… ABRE… CIERRA…

CUANDO CONECTAS LOS CLIPS DE LA BOBINA A LA PILA, PASA LA CORRIENTE Y CREA UN CAMPO MAGNÉTICO. ÉSTE ATRAE AL NÚCLEO HASTA EL CENTRO DE LA BOBINA Y "ABRE" LA CERRADURA. CUANDO SE INTERRUMPE LA CORRIENTE, LA GRAVEDAD ATRAE EL NÚCLEO Y "CIERRA" LA CERRADURA OTRA VEZ.

Un motor del tamaño de un coche mueve las centenares de toneladas de un tren de pasajeros o de mercancías.

MOTOR ELÉCTRICO

La electricidad y el magnetismo se combinan para conseguir un movimiento giratorio en uno de los dispositivos más útiles: el motor eléctrico. Algunos motores son tan pequeños como la cabeza de un alfiler. Otros son tan grandes como un camión. Pero todos dependen de un interruptor sincronizado que combine la electricidad y el magnetismo.

La mayoría de los motores eléctricos tienen muchos bobinados para conseguir un movimiento de giro suave y potente.

PROYECTO: CONSTRUIR UN MOTOR ELÉCTRICO

MOTOR ELÉCTRICO

¡ATENCIÓN! El hilo debe ser fino, pero rígido, y disponer de una capa de esmalte aislante. Procura no romperlo en el paso 4 al rascar el recubrimiento.

MATERIALES

- Hilo de cobre esmaltado
- Dos clips muy grandes
- Imán en forma de disco
- Pila de 9 V
- Cartón grueso o plancha de poliuretano
- Cola
- Cuchillo

1

CORTA UNA BASE Y UN PANEL VERTICAL DE 2 CM DE ANCHO DE CARTÓN. PEGA EL PANEL VERTICAL A LA BASE.

2

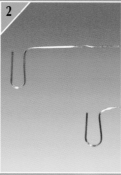

RETUERCE UN CLIP MUY GRANDE Y DALE FORMA DE GANCHO EN UN EXTREMO.

3

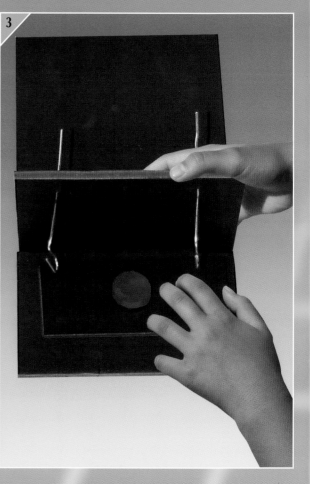

4

| HILO DESNUDO | HILO DESNUDO |
| ESMALTE AISLANTE | ESMALTE AISLANTE |

ENROLLA EL HILO ESMALTADO EN UN CÍRCULO DE 6 CM DE DIÁMETRO, DEJANDO LOS DOS EXTREMOS HORIZONTALES Y OPUESTOS. CON UN CUCHILLO AFILADO, RASPA EL ESMALTE DE LA MITAD SUPERIOR DEL EXTREMO DE CADA HILO (MIRA EL DIAGRAMA DE LA PÁGINA 27).

HAZ DOS AGUJEROS EN EL PANEL CENTRAL. PASA LOS DOS CLIPS POR ELLOS. COLOCA EL IMÁN DE DISCO EN EL CENTRO DE LA BASE DE CARTÓN ENTRE LOS GANCHOS DE LOS CLIPS.

ATRACCIÓN GIRATORIA

La electricidad que pasa por la bobina la convierte en un electroimán. Su campo magnético atrae o repele el del imán de disco, lo que hace que la bobina se mueva. Pero puesto que el hilo esmaltado ahora toca los ganchos, se corta la corriente. Sin embargo, la bobina sigue moviéndose por inercia y gira algo más allá hasta que el hilo desnudo vuelve a tocar los ganchos de los clips, pasa la electricidad y, entonces…

LA CORRIENTE PRODUCE UN CAMPO MAGNÉTICO

EL GANCHO DEL CLIP TOCA EL CABLE DESNUDO Y PASA LA CORRIENTE

EL IMÁN REPELE EL CAMPO MAGNÉTICO DE LA BOBINA Y LA EMPUJA A GIRAR UNA PARTE DE UNA VUELTA

EL IMÁN NO TOCA LA BOBINA

EL GANCHO DEL CLIP TOCA EL ESMALTE AISLANTE Y SE CORTA LA CORRIENTE

LA INERCIA DEL MOVIMIENTO DE LA BOBINA LE HACE SEGUIR DANDO LA VUELTA

¿GIRA BIEN?

CONECTA LA PILA A LOS CLIPS. DA UN LIGERO EMPUJÓN A LA BOBINA, LA CUAL DEBERÍA CONTINUAR GIRANDO SOLITA. PARA QUE GIRE MEJOR, QUIZÁ TENDRÁS QUE AJUSTAR LA ALTURA DEL IMÁN Y COMPROBAR QUE HAS QUITADO BIEN EL ESMALTE DE LA MITAD DE CADA EXTREMO DEL HILO.

5

COLOCA LA BOBINA CENTRADA ENTRE LOS GANCHOS DE LOS DOS CLIPS. ASEGÚRATE DE QUE PUEDA GIRAR PASANDO CERCA DEL IMÁN SIN TOCARLO. AÑADE ALGO MÁS DE CARTULINA PARA ACERCAR EL IMÁN TODO LO POSIBLE.

CONSTRUYE UNOS CONECTORES CON CABLE NORMAL Y CLIPS DE PAPELERÍA PARA LA PILA.

6

ELECTRÓLISIS

La electricidad circula bien por el agua. Por esto es importante no tocar nunca aparatos eléctricos mojados o con las manos mojadas.

La electricidad produce un efecto también en el agua: hace que las sustancias disueltas se muevan, un efecto que se llama "electrólisis" y "galvanizado".

Los objetos de plata son muy caros, por lo que se hacen objetos más baratos galvanizados con plata.

Las llantas de un coche pueden estar galvanizadas con una capa muy fina de un metal llamado "cromo". El hierro galvanizado con cromo no se oxida y permanece brillante durante mucho tiempo.

PROYECTO: GALVANIZAR UN CLAVO CON COBRE

GALVANIZADO

¡ATENCIÓN! Haz este experimento en un lugar ventilado, porque se desprenden gases.

MATERIALES

- **Cable eléctrico**
- **Clips**
- **Clavo largo**
- **Pila de 9 V**
- **Vinagre**
- **Cartón grueso**
- **Bote de cristal**
- **Cola**
- **Alambre de cobre desnudo**
- **Cinta aislante**
- **Sal común**

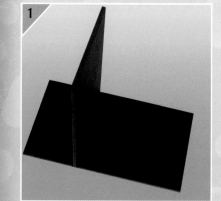

CORTA UNA BASE Y UN PANEL DE 20 CM X 12 CM DE CARTÓN. PEGA EL PANEL VERTICAL A LA BASE.

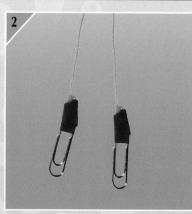

HAZ DOS CONECTORES CON CABLE Y CLIPS, PARA CONECTAR LA PILA A LOS ELECTRODOS.

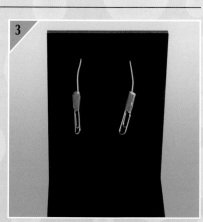

EFECTÚA DOS AGUJEROS EN EL EXTREMO SUPERIOR DEL PANEL VERTICAL Y PASA LOS CABLES POR ELLOS.

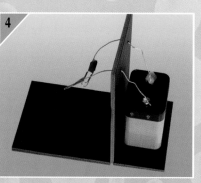

CONECTA LOS CLIPS A LOS BORNES DE LA PILA DETRÁS DEL PANEL.

PASA UN CLAVO Y EL ALAMBRE DE COBRE A TRAVÉS DE UNA TIRA DE CARTÓN LO SUFICIENTEMENTE LARGO COMO PARA QUE SE AGUANTE ENCIMA DEL BOTE.

ELECTRÓLISIS

La electricidad pasa a través de un líquido, como el agua o el vinagre, entre dos contactos metálicos (electrodos). Cuando lo hace, causa reacciones químicas. Esto se llama "electrólisis". La electricidad hace que aparezcan en el agua iones positivos de cobre. Estos iones tienen carga positiva y son atraídos por el electrodo negativo, el clavo.

LOS IONES DE COBRE POSITIVOS SE ADHIEREN AL CLAVO NEGATIVO

EL TERMINAL POSITIVO DE LA PILA SE CONECTA AL ELECTRODO DE COBRE

EL TERMINAL NEGATIVO DE LA PILA SE CONECTA AL CLAVO

¿UN CLAVO DE COBRE?

DESPUÉS DE UNA O DOS HORAS, DESCONECTA LA PILA Y SACA EL CLAVO. DEBERÍA ESTAR RECUBIERTO DE UNA CAPA ROJIZA-DORADA POR LA PARTE QUE HA ESTADO SUMERGIDO EN VINAGRE. ESTO ES UN GALVANIZADO DE COBRE CONSEGUIDO POR MEDIO DE ELECTRÓLISIS.

LLENA EL BOTE CON VINAGRE, AÑADE UN POCO DE SAL Y AGÍTALO BIEN. COLOCA LA TIRA DE CARTÓN CON EL CLAVO Y EL ALAMBRE DE COBRE ENCIMA. CONECTA EL BORNE POSITIVO (+) DE LA PILA AL COBRE Y EL NEGATIVO (–) AL CLAVO.

MIRA ALREDEDOR

Emplear la electricidad para recubrir un objeto con una fina capa de otra sustancia, normalmente un metal, se conoce como "galvanizado". Es un método muy común para proteger materiales como el acero, que tiende a perder brillo, oxidarse o corroerse.

Historia de la electricidad

Hace 2.600 años, Tales de Mileto, el primero de los Siete Sabios de la Antigua Grecia, observó que frotando un pedazo de ámbar, éste atraía objetos muy ligeros como las plumas. Esto se debía a la fuerza de atracción electrostática (electricidad estática). Pero durante siglos no se acabó de comprender la fuerza atractiva de las cargas eléctricas y de los imanes.

1600 William Gilbert propuso en su obra *De Magnete* que la Tierra era un gigantesco imán. Él fue el inventor de la palabra "electricidad".

1729 Stephen Gray descubrió que la electricidad (carga estática) se encontraba en la superficie de los objetos y no en su interior. Observó que las cargas eléctricas eran transportadas por ciertas sustancias y no por otras; de ahí nació la idea de conductor y aislante.

1751 Benjamin Franklin describió la electricidad como un fluido invisible y demostró que podía convertir una aguja en un imán. Al año siguiente, realizó su peligroso experimento con la cometa, para demostrar que el rayo es una forma de electricidad.

1773 Charles Dufay descubrió que dos pedazos de ámbar bien frotados se repelen ente sí. Dedujo que la electricidad consistía en dos tipos de fluidos que dependían de la sustancia que se frotara.

1786 Luigi Galvani observó que las patas de una rana se encogían al tocar algunos metales. Se le ocurrió la idea de que en los seres vivos existía una "electricidad animal".

1800 Alejandro Volta construyó una serie de elementos generadores de electricidad: la llamada "pila de Volta". Se llama "batería" si es recargable.

1820 Hans Christian Oersted demostró que un cable que transporta electricidad crea a su alrededor un campo magnético que afecta a una brújula.

Década de 1820 André-Marie Ampère realizó muchos avances en la electricidad y el electromagnetismo, mientras que William Sturgeon y Joseph Henry desarrollaron los electroimanes.

Década de 1830 Michael Faraday diseñó los primeros generadores y motores.

Los primeros telégrafos utilizaron la electricidad para enviar mensajes a larga distancia.

1867 James Clerk Maxwell demostró que la electricidad y el magnetismo forman parte de la misma fuerza electromagnética y que los rayos de luz también son ondas electromagnéticas.

1904 John Ambrose Fleming inventó el llamado "tubo de vacío" o válvula electrónica, lo que ayudó a dar comienzo a la ciencia de la electrónica.

Glosario

Aislante Sustancia que ofrece una enorme resistencia al paso de la electricidad.

Amperio (A) Unidad de medida de la cantidad de electricidad o corriente que circula, o sea, el número de electrones que pasa por segundo.

Átomo La partícula más pequeña de una sustancia pura (un elemento químico). Dos o más átomos se juntan para formar moléculas.

Batería Pila recargable, normalmente formada por varios elementos en serie.

Campo magnético La zona alrededor de un imán en la que se experimenta la fuerza magnética.

Carga eléctrica El electrón tiene una carga negativa. El resto del átomo tiene una carga positiva. La carga positiva se designa con el signo +, mientras que la negativa con el signo –.

Condensador Dispositivo de almacenamiento de cargas, del que el primero fue la botella de Leyden. Se descarga muy fácilmente y no mantiene la tensión eléctrica.

Conductor Sustancia que permite el paso de los electrones por su interior y transporta muy bien la electricidad.

Corriente El paso de los electrones por un circuito conductor.

Electricidad estática Los efectos de atracción y repulsión entre cargas eléctricas que no se mueven.

Electroimán Campos y fuerzas magnéticas producidas por una corriente eléctrica que pasa por un cable enrollado llamado "bobina".

Electrones Partículas que forman parte de los átomos y que giran alrededor de su núcleo positivo de protones.

Ohmios Unidad de medida de la resistencia al paso de la corriente eléctrica.

Pila eléctrica Dispositivo que crea tensión eléctrica debido a las sustancias químicas en su interior y que es capaz de mantener una corriente en un circuito completo hasta que se agota.

Polo En electricidad, cada extremo de una pila o batería. El borne positivo se designa con el signo + y el negativo con el signo –

Polo magnético En magnetismo, uno de los dos extremos de un imán en el que las fuerzas magnéticas están más concentradas.

Voltio Unidad de medida de la fuerza de la electricidad (fuerza de repulsión), conocida también como "tensión eléctrica" y "fuerza electromotriz".

ÍNDICE DE TÉRMINOS